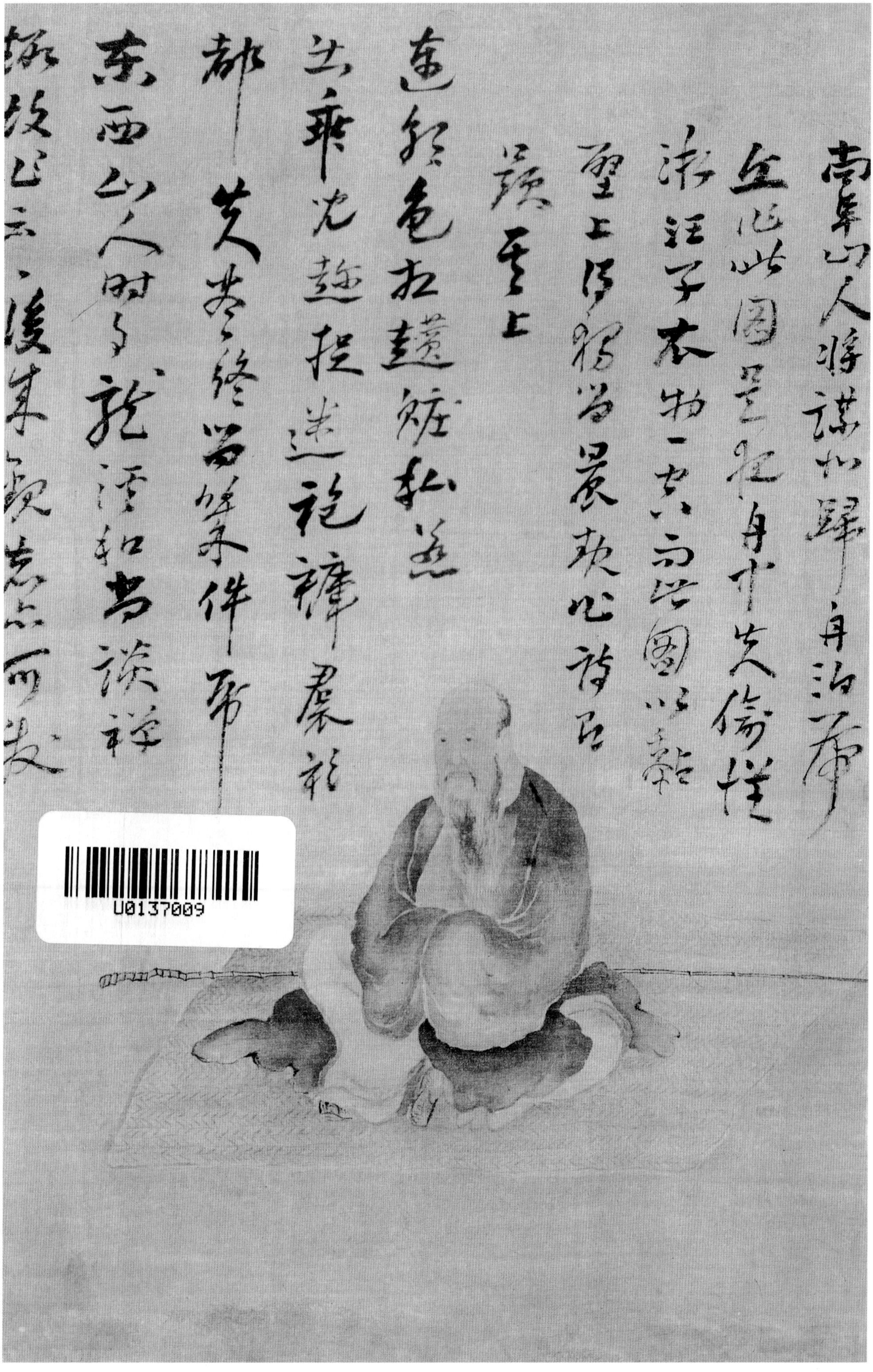

自绘小像

移凡讀書宜山隐對樹間頻真
宜倫地靜自斷溪流淡晴西
流座翰碧條四怅綠柏立古叶
枕抱琴來枕凡漢名唐松弄滴
預清硯者紫易水賦散弄漢柞
人隐按雄柞山岩居戶迎何人叹
任隐肚弟多佳松讀古屋
無拓區弟眾歌屏圓雲散孜
圖記晚昏蒙東早戴今經終蒼
苍出晓昏何宮英書京其注
橋南村　康熙幸丑歲月望後一
　　　日题画奉寄
衰老鎔兄并信手词讯碎宮墨
　諸先意以京高風捣

山水軸

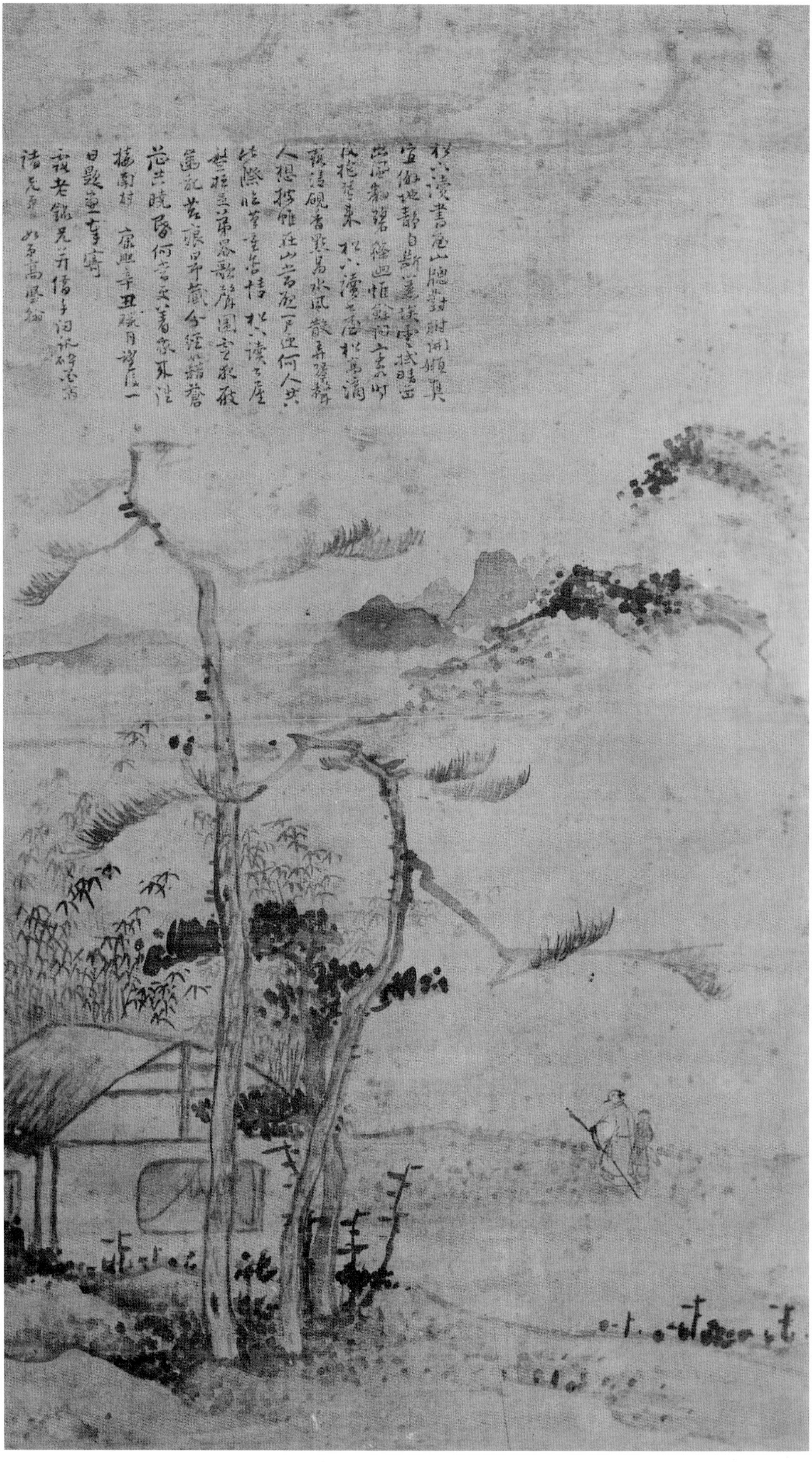

序言

程大利

中国艺术的传统和丰厚的文化艺术遗产是中华民族一代又一代先哲智慧的结晶。『江山代有才人出，各领风骚数百年』，绘画艺术的传承、演进和发展，离不开一位又一位杰出画家锲而不舍的追求精神和艺术实践。

经历了近百年乃至数百年、千余年，这些大师的陈迹为什么仍能感染着、激励着今天的读者呢？人们为什么要一再去回顾和欣赏这些古迹斑斑的笔墨呢？因为，真正的艺术品是不朽的。这些大师的作品凝聚着民族的审美追求，积淀着我们民族对美好事物的想象、理解、知觉和感情。以中国传统艺术品评法则——《六法论》作为参考系，陈老莲、沈周、徐渭、金农、任伯年等一批明清杰出艺术家的作品无论形神、骨法、墨韵、境界均达到化境。而且能引起观者深深的共鸣。

明清是中国文人画盛极而衰的时期，但就技法而言，笔墨的表现潜力已发挥到了极致，陈老莲、沈周、徐渭分别创造了自己的高峰，金农以独特面貌崛起画坛，成为扬州画派中极富个性的一家，而任伯年则是位雅俗共赏的大师。这批画家对笔墨的运用极为精熟，可以熟练地运用工具写心，表现胸中涌动的激情及对造化的感受。画家们灵活地、随心所欲地运用毛笔，以正侧、顺逆、提按、转折等手法变化表现方圆、刚柔、缓急、畅涩等等各种效果，把中国书法的各种美学因素用到了画面上，就力度而言『笔能扛鼎』，就丰富多变而言可状写万物，描绘大千。这些画家个个是写神高手，放笔直取物象魂魄。中国画术语叫做『写』，写形重在写意，写意的至高境界是传神。『写』不仅仅要完成意象之美，还是『自我』的表现过程，画家的人格气质、学养胸襟、审美追求和理想尽在笔底。画面上总是清晰地记载着抑扬顿挫、离披点画、浓淡交错、挥洒姿肆，『倏忽万变而能潜气内转』（刘熙载语）无一不包含着作者创作时的感受方式，这种感受方式与西方绘画的抽象艺术在审美意识上是共通的，体现着艺术家对自身和外部世界的规律性感受。

所有这些大师们的作品都有一种『臻于化境』的美感。所谓『化』，意味着化客观为主观，为写心而状物，以有限的空间表现无限的想象。历代画家的创作经验不断揭示着新的意境创造与新的表现形式的关系，新形式的产生是必然的，它是画家按照自己的审美追求，在生活和造化中直接形象感受的基础上，概括、提炼，即从『神会』到『妙悟』后创造出来的，不仅仅是新的，也是真的和美的。

我们把这批大师的作品精心选编，呈现给读者，旨在让读者对他们有个明晰的认识，同时提供一条较简捷的研究和学习的途径，以期推动当代中国绘画的创作和研究。

高凤翰简介

高凤翰（一六八三—一七四九），字西园，号南村，自称南阜山人。山东胶州（今胶县）人。前半生生活在山东，四十六岁之后南行，晚年在扬州定居，成为扬州画派的重要画家。五十五岁时因风痹症右手瘫痪，自此一切皆用左手，自号『后尚左生』，并制一『丁巳残人』印章。

诗人张历友曾有『佳儿弱冠弄柔翰，笔陈横扫千人军』，诗句，是称赞少年高凤翰的。他擅长书法，工于山水、花卉及治印，并善诗文，很受时人推重，日照、莱阳等县曾请他修辑志书。雍正五年胶州知州黄之瑞举荐他应『贤良方正科』，次年赴京应试，成绩一等，被授安徽歙县县丞。高凤翰为人旷达奔放，气节刚直，生得长髯，曾自署为『髯高』。为官清廉，体谅民间疾苦，一生不入俗流。

高凤翰嗜砚，收存至千数百方，每砚都自行刻凿铭词，汇成《研史》一书。收藏秦汉印章，竟有五千余方。

中年后流寓扬州期间结交了『扬州八怪』，因此有人将他与『扬州八怪』并称或干脆列入『扬州八怪』之内。

高凤翰的绘画取法宋人，在学习传统上下了苦功又有自己的创造。擅画山水花卉。山水生拙浑朴，不拘法度，别具一格，从现实生活出发，笔下原野平川、茂林修竹、重峦叠嶂、渔村湖浦处处都能引人入胜。花卉则在『青藤、白阳』之间，竹石园林墨韵华滋，有超然之气，完全不同于当时陈陈相因的院体一路。并有大幅巨制，功力精到，用笔工细严谨而又大气磅礴。

画家自右手病废后用左手作画，笔力圆润劲利，用线生拗涩拙，沉着厚重，加之多方面的积累和超然的艺术态度，使他的左笔画卓然独立，他的右手书法严谨中见流利，左笔研习碑刻，取魏晋人风格，圆润厚实，下笔有奇趣。

高凤翰的诗亦出色，兀傲不羁的性格在《南阜诗集》里多有表现。

高凤翰才情虽高，但一生仕途不得意，潦倒去官，晚年贫病交加，靠卖画不能维持生活，几亩田产也典当作医药费用，在悲怆的境遇中死去。

（阳阳）

目录

自绘小像……1
山水轴……2
罨画谿山图……3
云壑松风图……4
草堂艺菊图……5
牡丹轴……6
花卉……7
朴友图……8
瘦石轴……9
牡丹图轴……10
花石图……11
花卉轴……12
蕉月图轴……13
柳园图意……14
西亭诗意图……15
画石册页之一……16
画石册页之二……17
南天雁影图册……18
南天雁影图册……19
南天雁影图册……20
南天雁影图册……21
南天雁影图册……22
南天雁影图册……23
南天雁影图册……24
南天雁影图册……25
南天雁影图册……26
南天雁影图册……27
花卉册页……28
花卉册页……29
花卉册页……30
花卉册页……31
花卉册页……32
花卉册页……33
杂画册之一……34
杂画册之二……35
杂画册之三……36
杂画册之四……37
杂画册之五……38
杂画册之六……39
杂画册之七……40
杂画册之八……41
杂画册之九……42
杂画册之十……43
杂画册之十一……44
杂画册之十二……45
山水扇面……46

罨画谿山图

云壑松风图

草堂艺菊图

牡丹轴

花卉

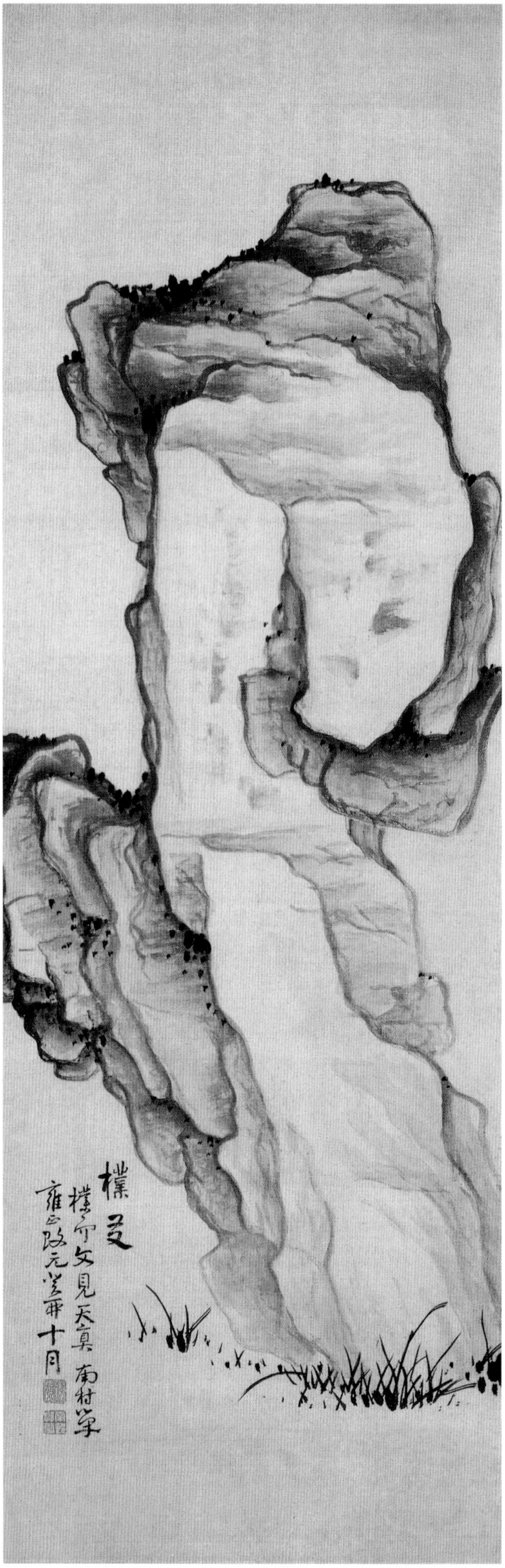

朴友图

此石瘦透当不减云林佳品但兴之所书颇难当

其龙笔拜之

南邨居士茀隆之

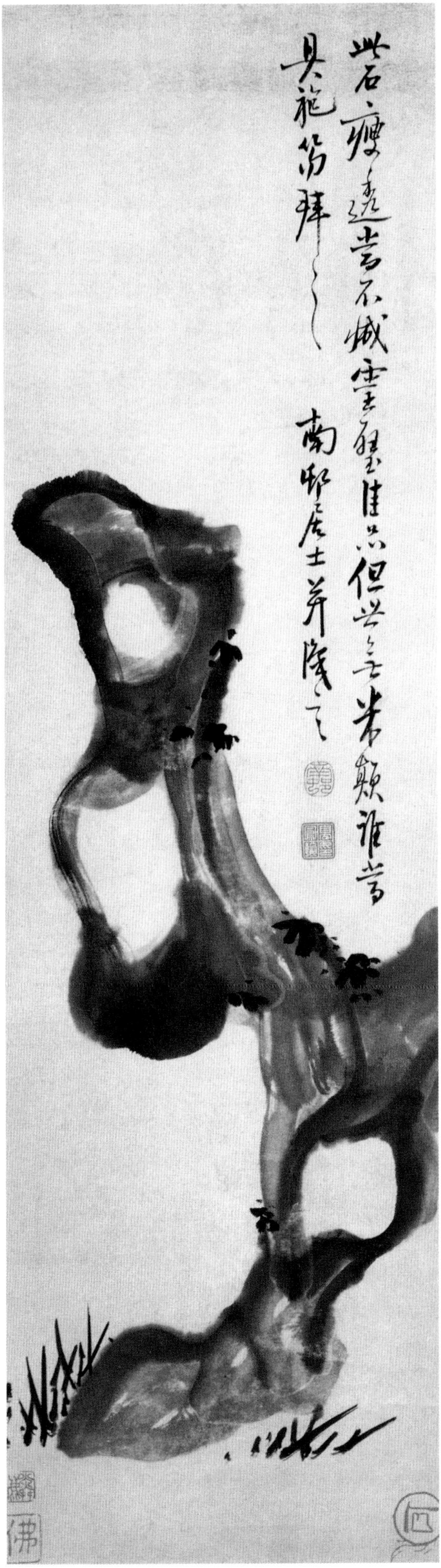

瘦石轴

牡丹图轴

花石图

花卉轴

蕉月图轴

柳园图意

西亭诗意图

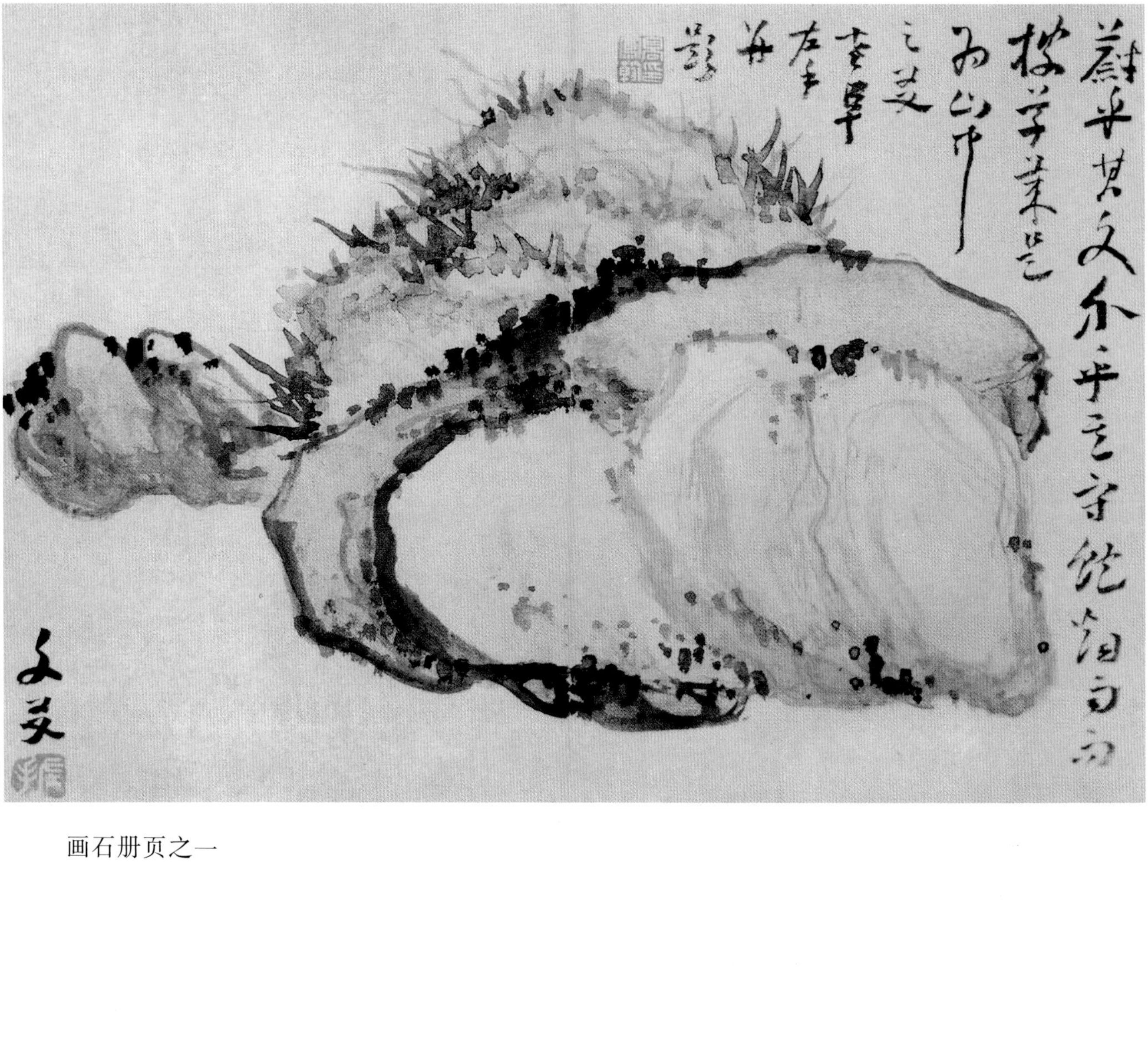

画石册页之一

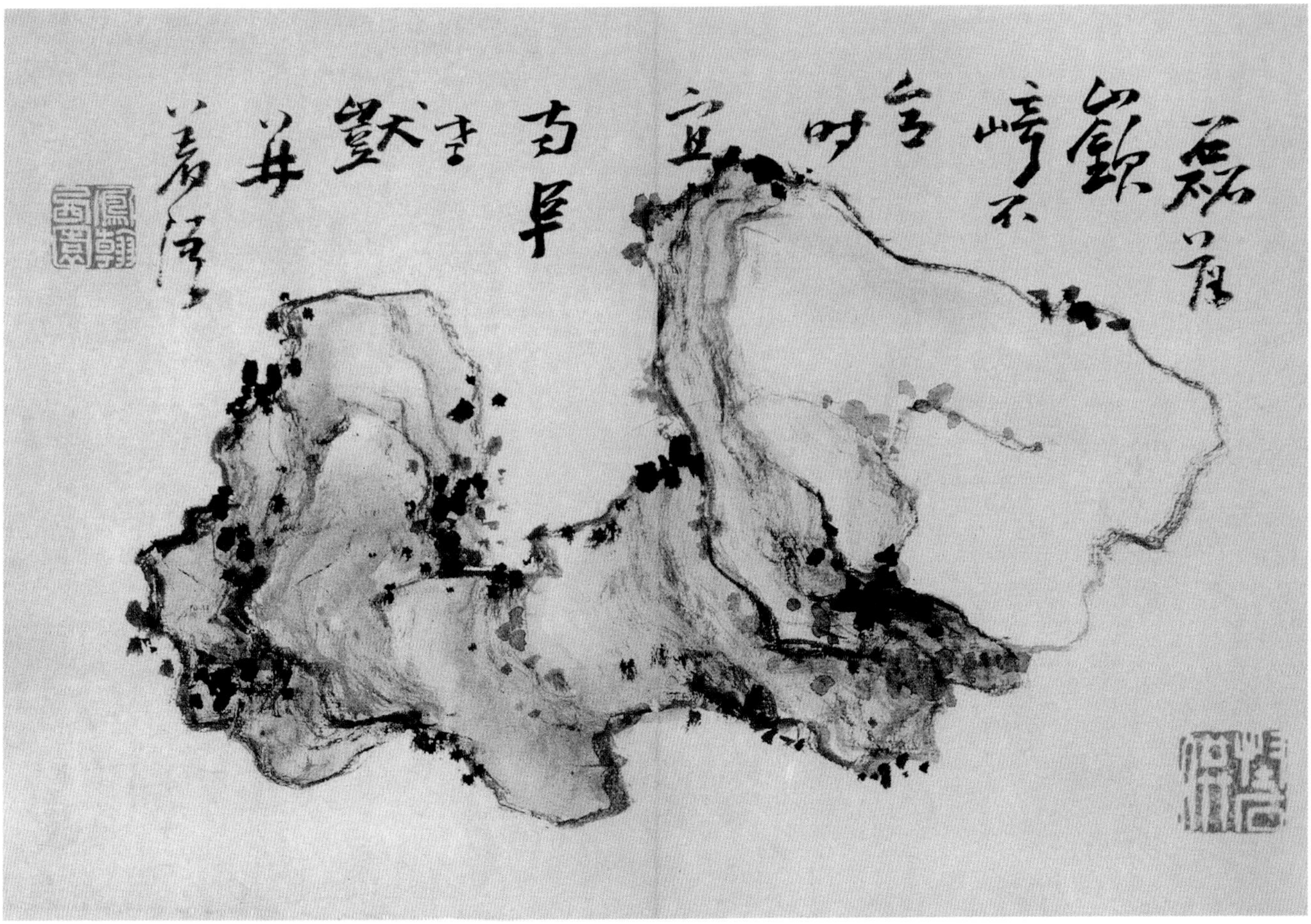

画石册页之二

南天雁影图册

南天雁影图册

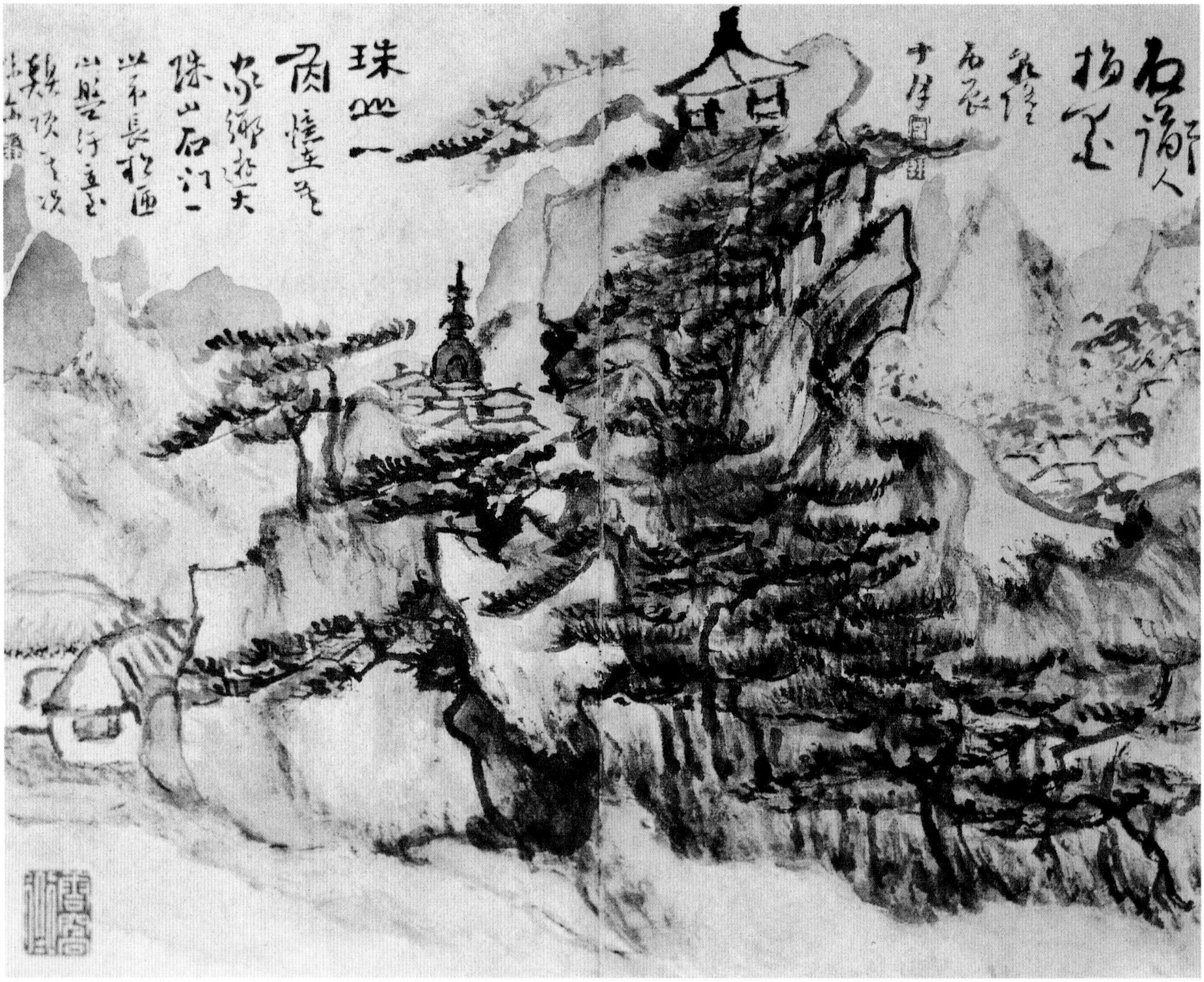

南天雁影图册

南大雁影图册

南天雁影图册

南天雁影图册

南天雁影图册

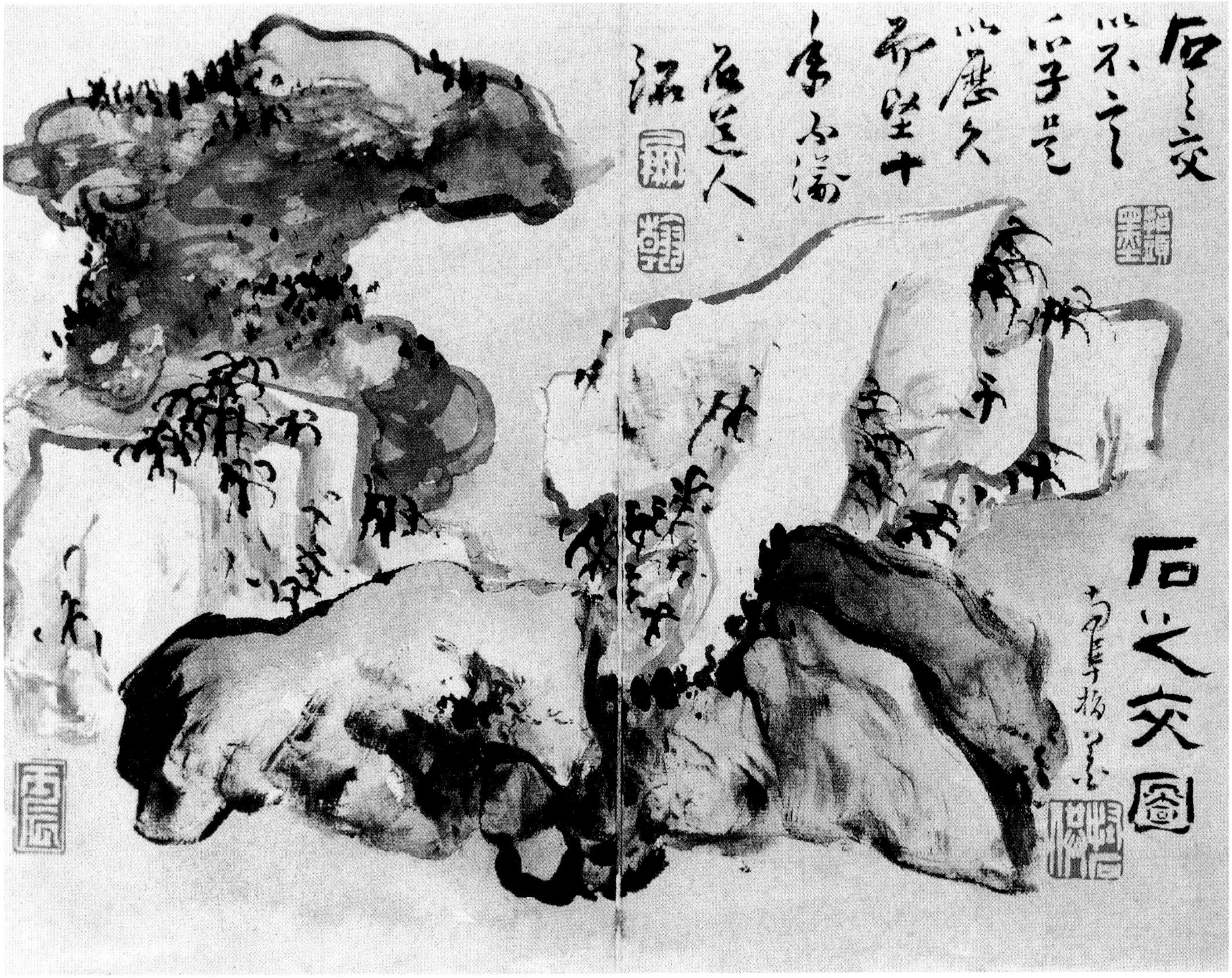

南天雁影图册

憶沙庭前好牡丹十年客中陽回憶在刻於賞易空室安似梗芽葉石忘有兄嶠軒

天香舞穗石道人拍風

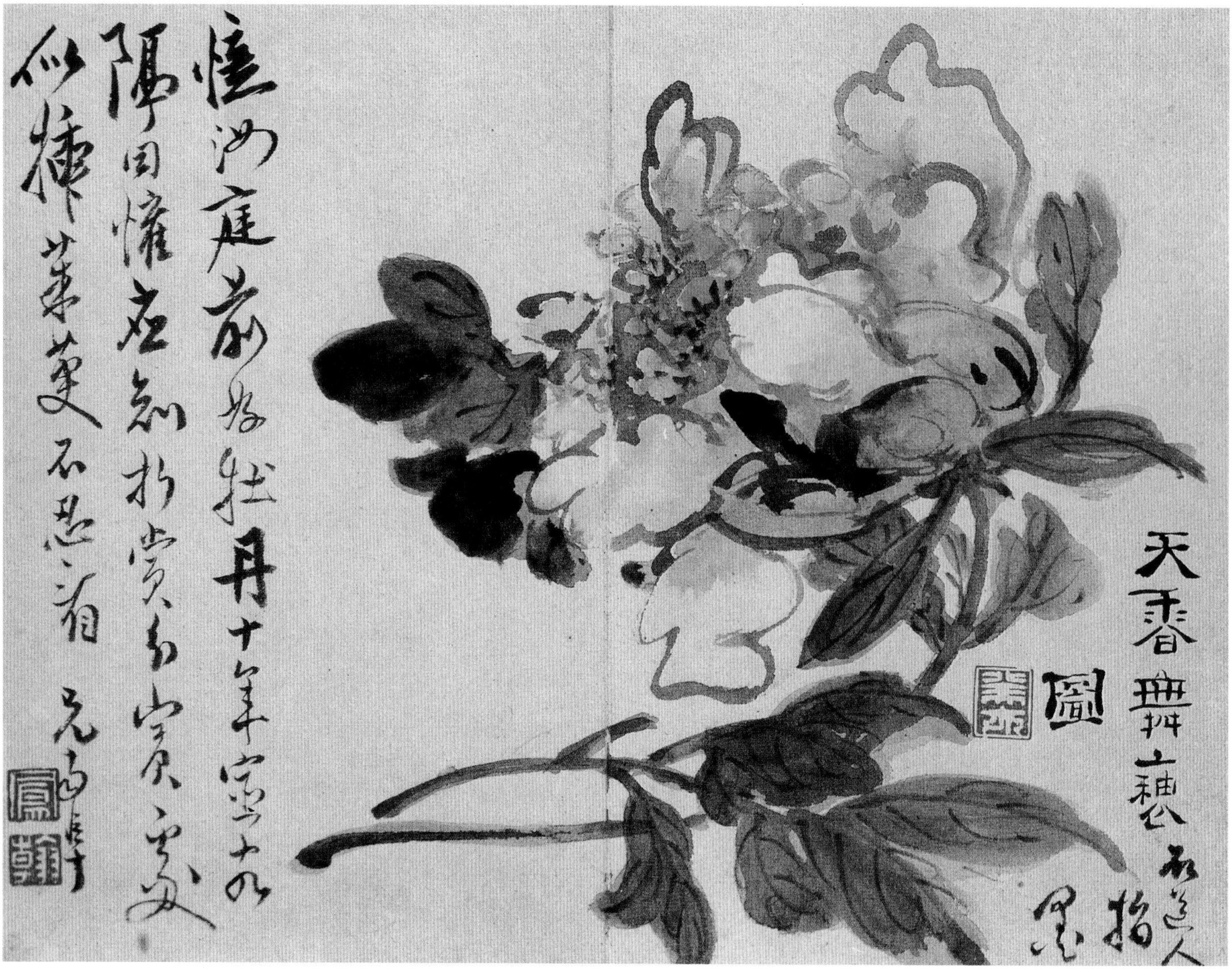

南天雁影图册

南天雁影图册

花卉册页

花卉册页

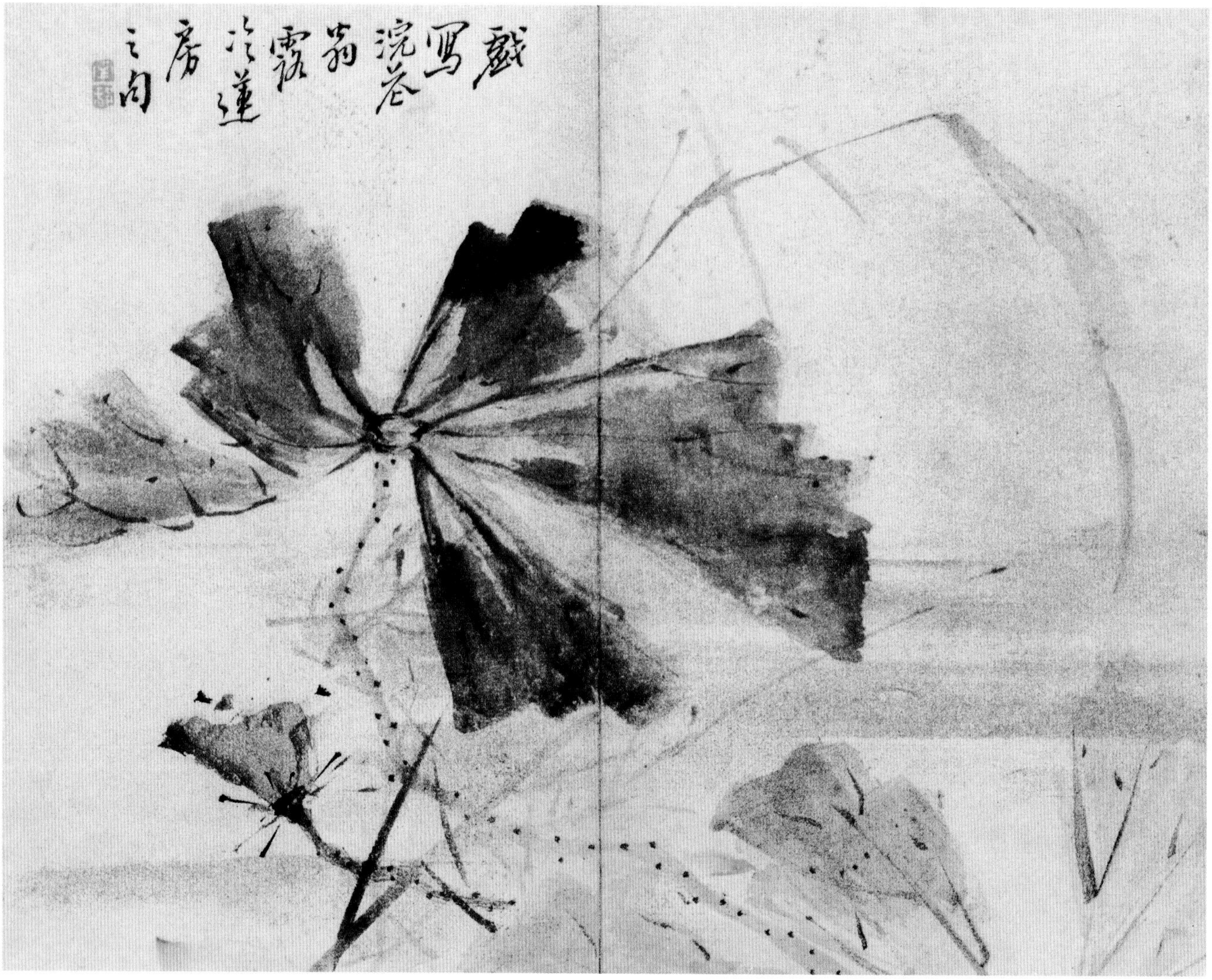

花卉册页

花卉册页

花卉册页

花卉册页

杂画册之一

杂画册之二

杂画册之三

杂画册之四

杂画册之五

杂画册之六

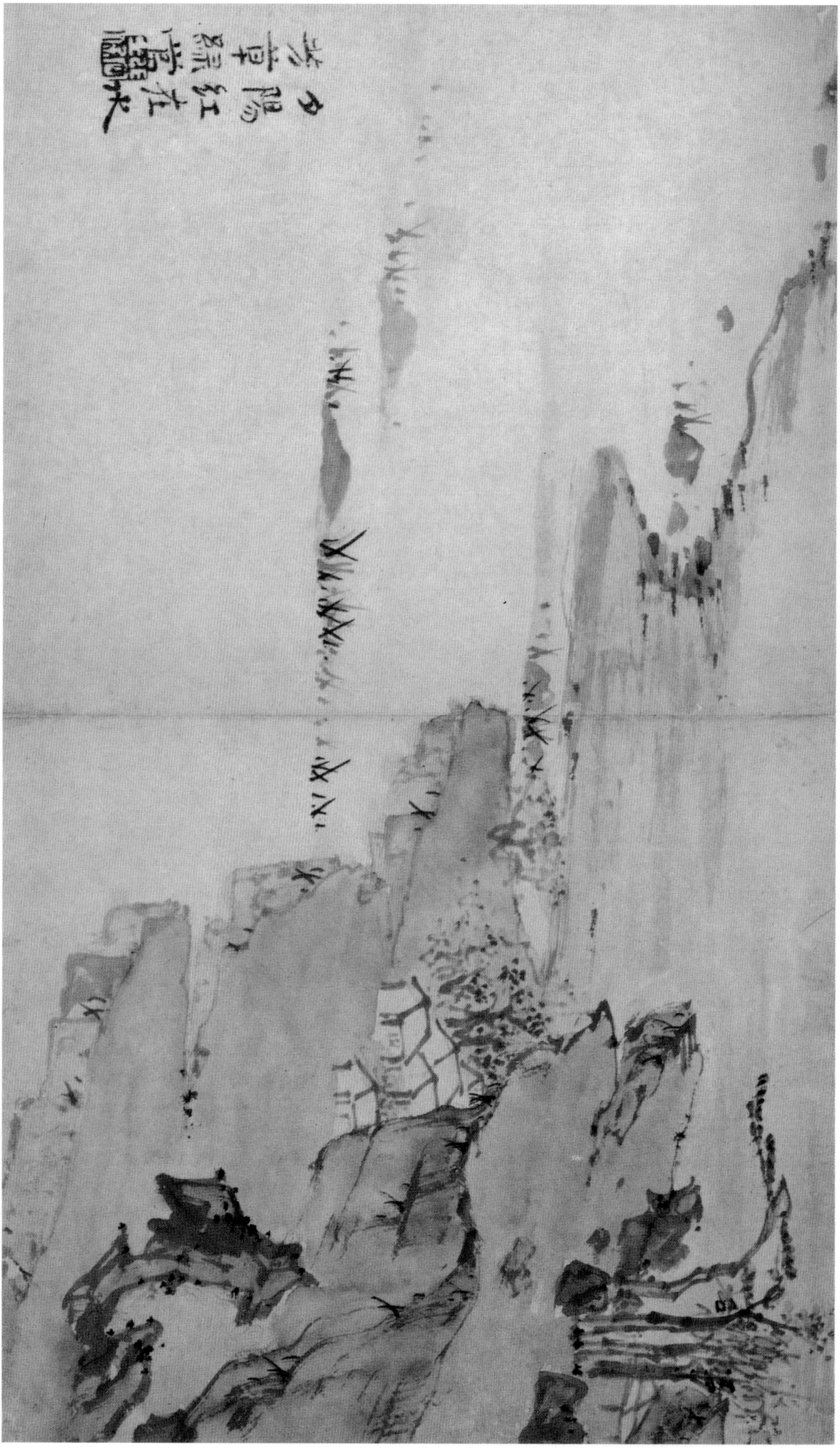

杂画册之七

日根雲伴石應隱
精映雪滿柚相興居

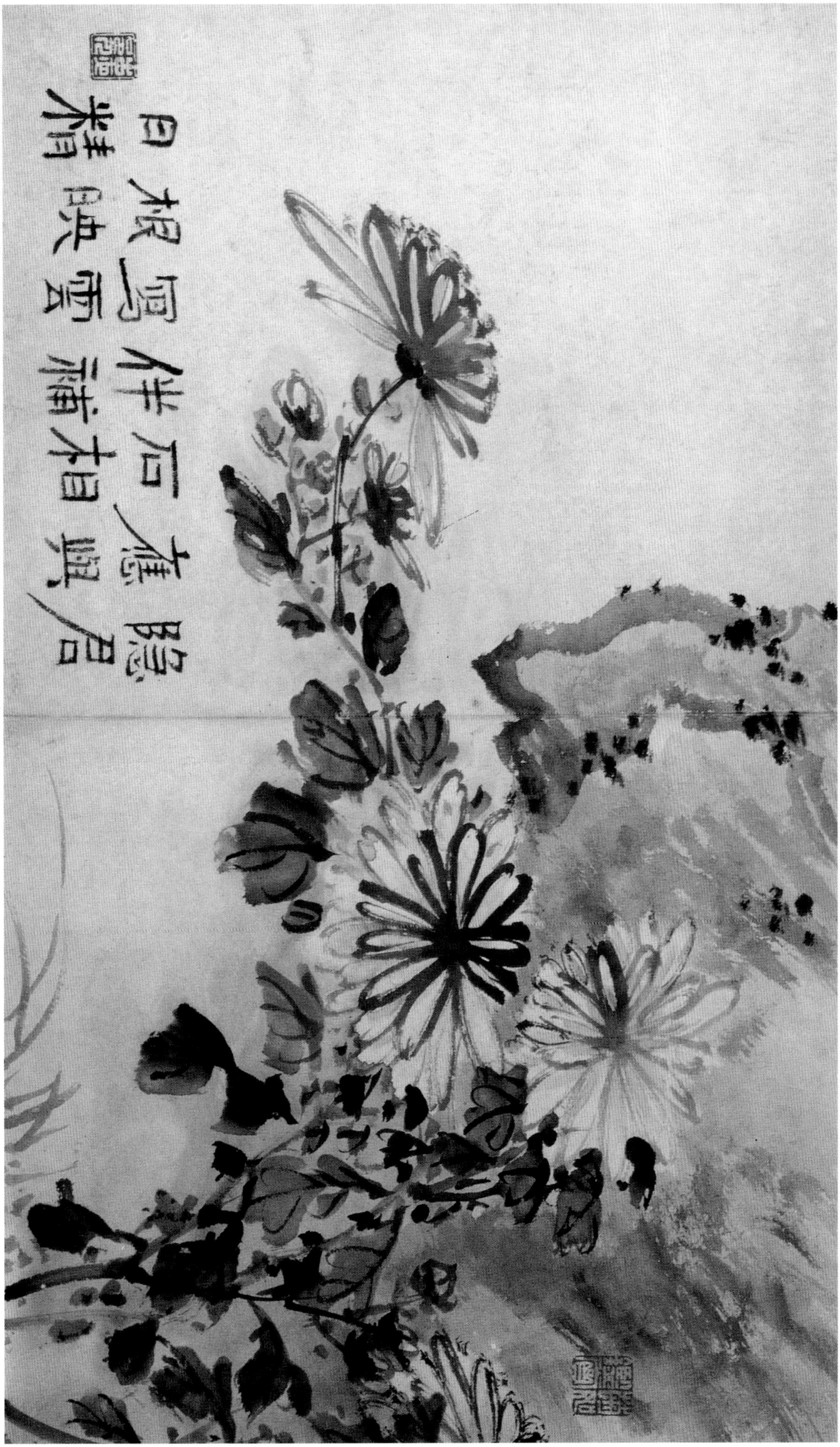

杂画册之八

杂画册之九

風竹東坡仿
筆意上麻子皮佛

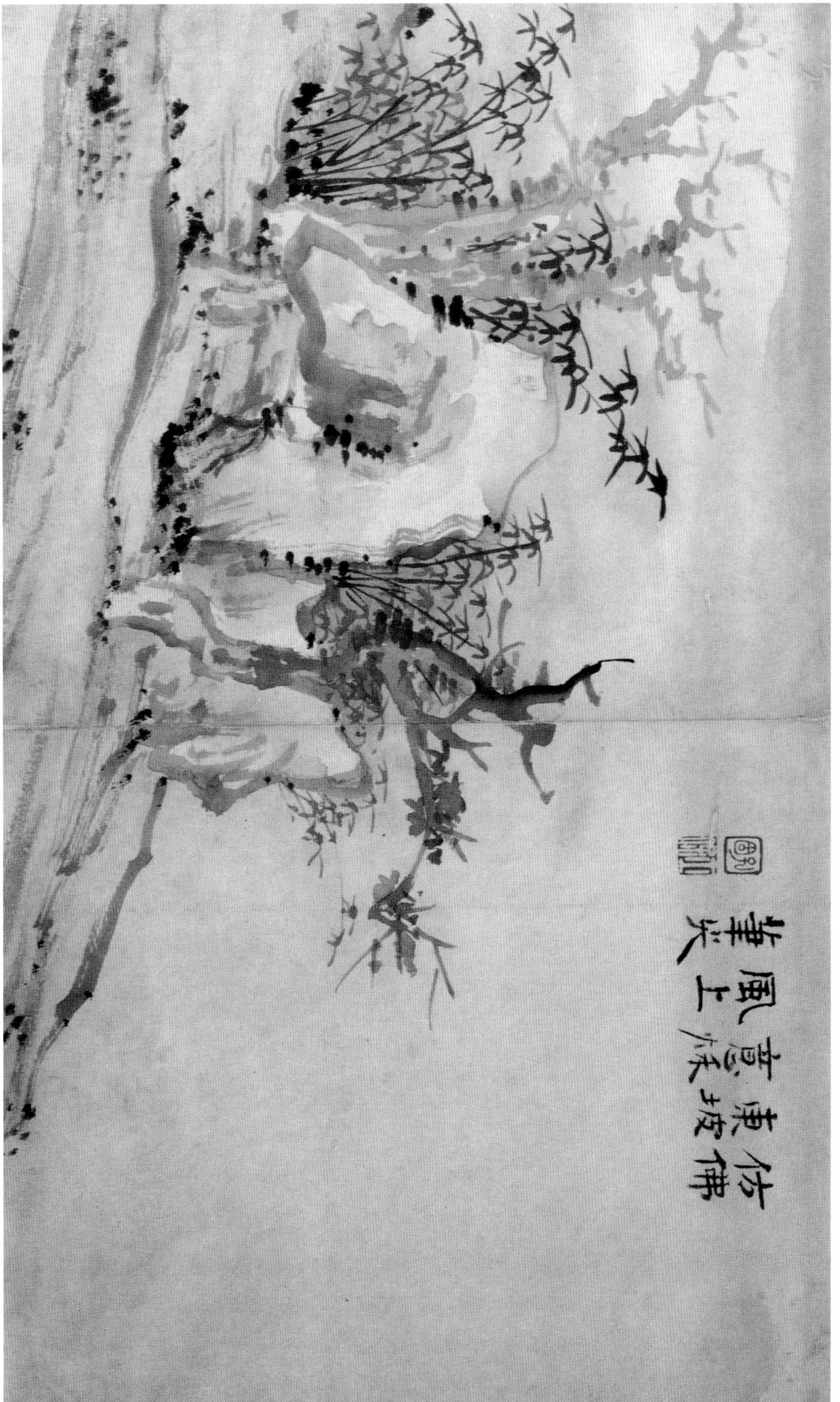

杂画册之十

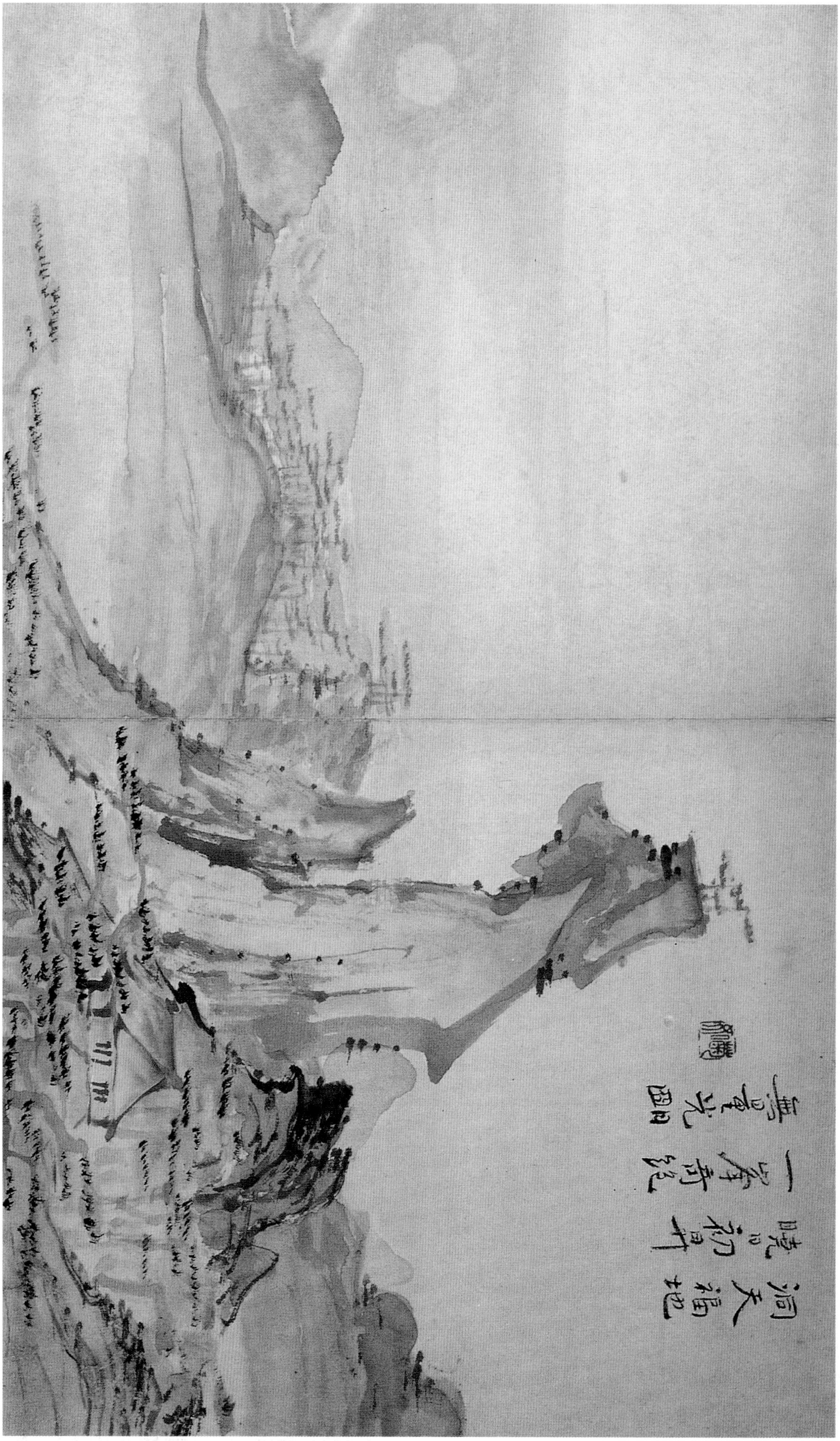

杂画册之十一

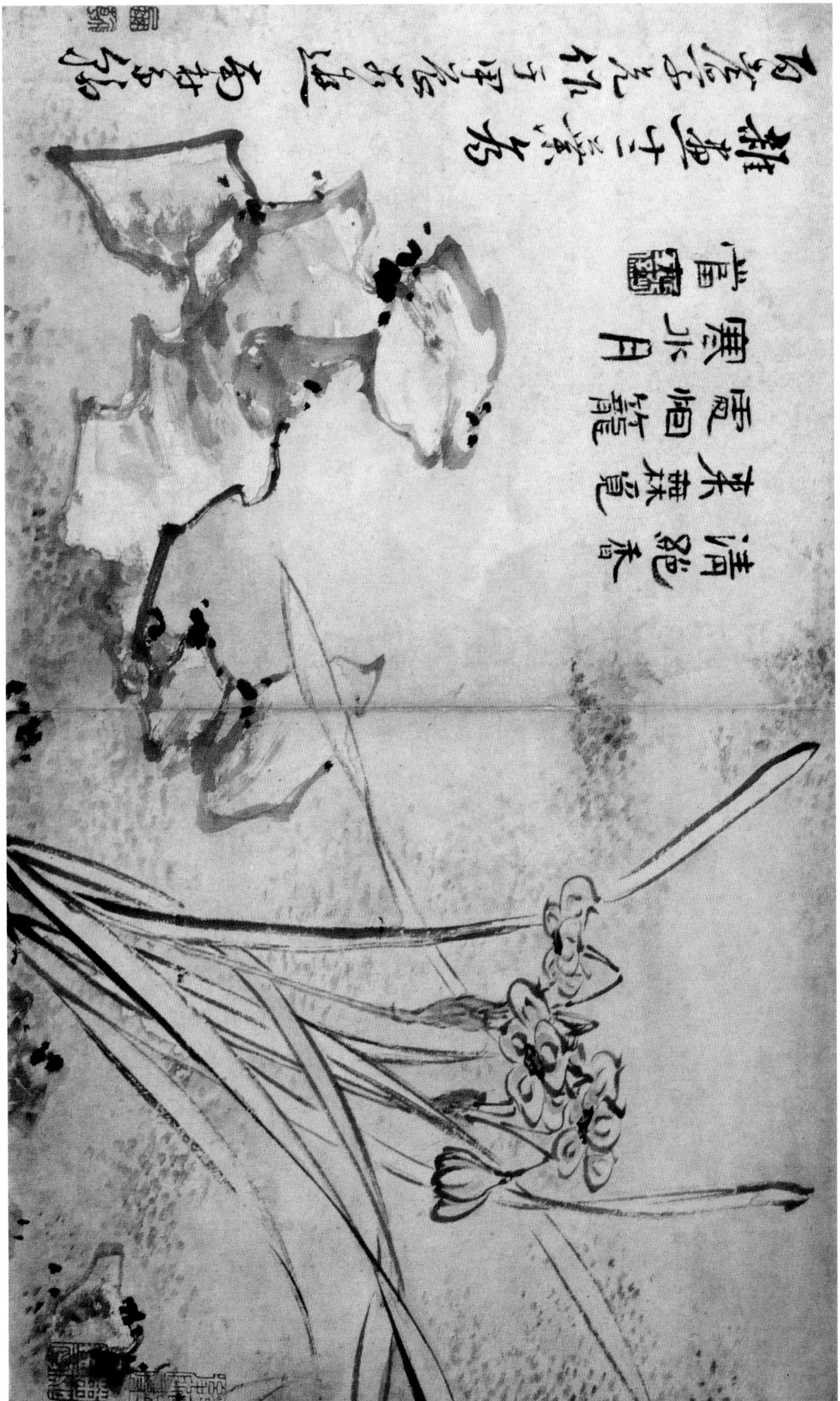

杂画册之十二

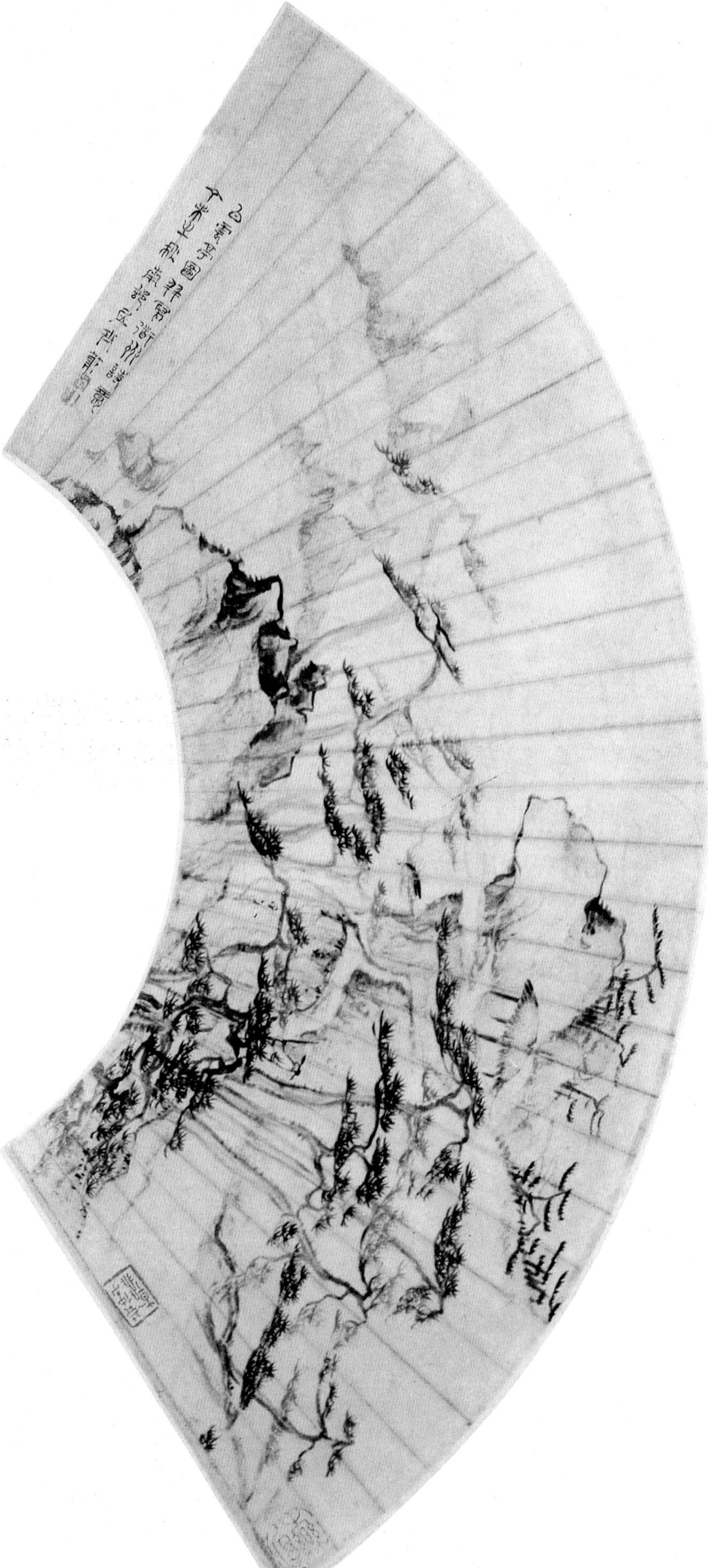

山水扇面